BOLLINGEN SERIES XXXIX

HEINRICH ZIMMER

THE ART OF INDIAN ASIA

ITS MYTHOLOGY AND
TRANSFORMATIONS

COMPLETED AND EDITED BY JOSEPH CAMPBELL

WITH PHOTOGRAPHS BY ELIOT ELISOFON
AND OTHERS

VOLUME TWO: PLATES

BOLLINGEN SERIES XXXIX

PANTHEON BOOKS

THIS IS THE THIRTY-NINTH IN A SERIES OF WORKS
SPONSORED BY AND PUBLISHED FOR
BOLLINGEN FOUNDATION

THE WORK CONSISTS OF TWO VOLUMES:
VOLUME 1, TEXT; VOLUME 2, PLATES

Library of Congress Catalog Card No. 54–11742

Manufactured in the U. S. A. by
Kingsport Press, Inc., Kingsport, Tennessee

DESIGNED BY ANDOR BRAUN

LIST OF PLATES

Descriptions of the plates, together with details of provenance, dimensions (where available), present location, and a key to text references, will be found at pp. 399 ff. in vol. 1.

NOTE

Bollingen Foundation wishes to acknowledge the generous permission of the Editors of *Life* for the publication of photographs of Cambodia and India by Eliot Elisofon and of Ceylon by Dmitri Kessel.

PLATES

Indus Valley Civilization.
c. 3000–1500 B.C.

1a. *Steatite statuette. Perhaps the
portrait of a priest*

1b. *Faïence seal: deity with worshipers and
serpents. Reverse: undeciphered script*

a

b

c

d

e

f

g

2. Indus Valley Civilization. *c. 3000–1500* B.C. *Seals*

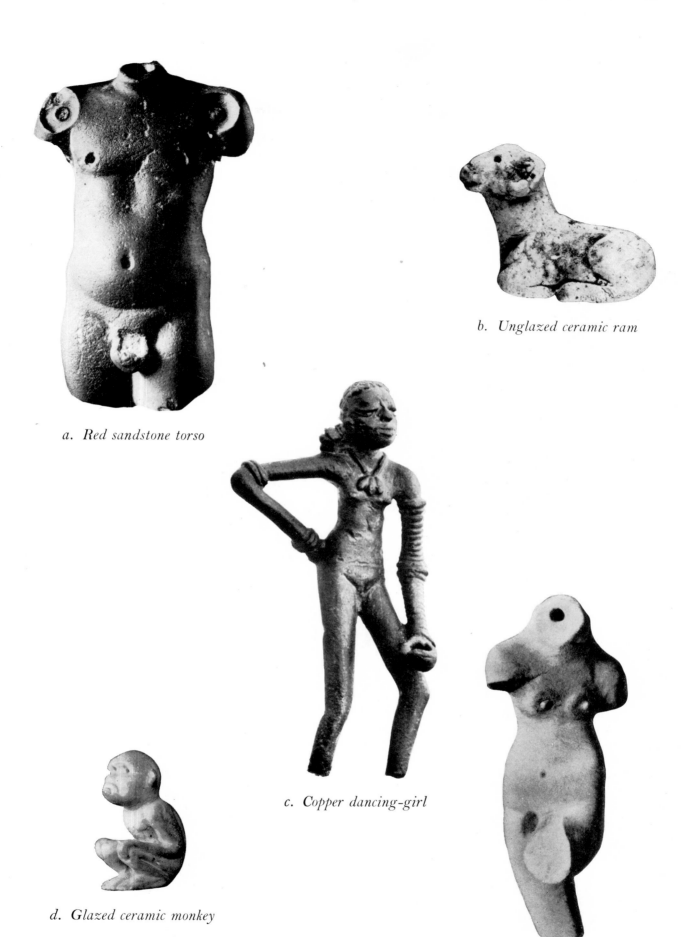

a. *Red sandstone torso*

b. *Unglazed ceramic ram*

c. *Copper dancing-girl*

d. *Glazed ceramic monkey*

e. *Gray stone torso of a dancer*

3. Indus Valley Civilization. *c. 3000–1500* B.C. *Figurines*

4. Sārnāth. *Lion capital.* III *century* B.C.

5. Dīdargañj. *Chowry bearer.* I *century* A.D.

6. Sāñcī. The Great Stūpa. *General view from the northwest.* III *century* B.C.—*early* I *century* A.D.

7. *North gate. Early* I *century* A.D.

8. Sāñcī. The Great Stūpa. *North gate, pillars, from the northeast. Early* I *century* A.D.

*9. West pillar, front, lower panels: Above: The Four Drives of Prince Siddhārtha.
Below: The Buddha Preaches to the Nobles of Kapilavastu*

10. Sāñcī. The Great Stūpa. *North gate, west pillar, inside, top panel:*
The Parinirvāṇa of the Buddha. Early i century A.D.

11a. Second panel: The Offer-
ing by the Monkey at
Vaiśālī

11b. Third panel: The Return
of the Buddha to Kapila-
vastu

12. Sāñcī. The Great Stūpa. *North gate, architraves, rear view. Early* I *century* A.D.

13. *North gate, west pillar, rear: elephant caryatids*

14. Sāñcī. The Great Stūpa. *East gate, from the northeast. Early* I *century* A.D.

15. *East gate: bracket figure, yakṣī or vṛkṣakā (dryad)*

16. Sāñcī. The Great Stūpa. *East gate, pillars, from the southeast. Early* I *century* A.D.

17. *South pillar, second panel: The Bo Tree*

18. Sāñcī. The Great Stūpa. *East gate, architraves, front view. Early* I *century* A.D.

19. *West gate, pillars and capitals, from the southwest*

20. Sāñcī. The Great Stūpa. *West gate, architraves, rear view. Early* I *century* A.D.

21. *West gate, front view*

22. Sāñcī. The Great Stūpa. *South gate: bracket dryad. Early* I *century* A.D.

23. *South gate, architraves, rear view*

24. Sāñcī. The Great Stūpa. *South gate, from the southwest. Early* I *century* A.D.

25. Sāñcī. Stūpa No. 3. *Early* I *century* B.C. *Gate, early* I *century* A.D.

26. Sāñcī. Stūpa No. 2. II *century* B.C.

27. *Ground balustrade, angle of the south entrance.* c. 110 B.C.

28. Sāñcī. Stūpa No. 2. *Balustrade medallions. c.* 110 B.C.

a

b

c

d

29. *Balustrade medallion*

30. Sāñcī. Stūpa No. 2. *Panel at the north entrance. c. 110* B.C.

31. Bhārhut Stūpa. *Balustrade reliefs. Early* I *century* B.C.

a. *The Antelope in the Wilderness*   b. *The Monkey King*

c. *Sujāta and the Ox/The Cat and the Cock*

d. *The Dream of Queen Māyā*   e. *The Gift of Anāthapiṇḍāda*

32. Bhārhut Stūpa. *Panels of the Ajātaśatru Pillar. Early* I *century* B.C.

a. Above: Adoration by the Gods of the Turban Relic of the Buddha. Below: Adoration of the Buddha

b. Above: Viśvabhū's Sāl Tree. Below: Return of the Buddha from the Trayastriṁśat Heaven

a. Batanmārā. *Yakṣī*   b. Bhārhut. *Cūlakokā Devatā*   c. Bhārhut. *Sudarśanā Yakṣī*

33. *Pillar reliefs. Early* 1 *century* B.C.

a. Kubera Yakṣa

b. Candrā Yakṣī

34. Bhārhut Stūpa. *Pillar reliefs. Early* I *century* B.C.

a. *Cakravāka Nāga*   b. *Supavasu Yakṣa*

35. *Pillar reliefs*

a. Outer face   b. Side face

c. Inner face

36. Bhārhut Stūpa. *South gate, Prasenajit Pillar. Early* ɪ *century* B.C.

37. Jaggayyapeṭa. The Stūpa. *Panel: The Universal King. c.* I *century* B.C.

a

b

c

38. Amarāvatī

a, b, d. *Fragments of a railing. Late* I *century* A.D.

c. *Base of a pillar. c.* II *century* A.D.

d

39. Bhājā. *Façade of the caitya hall, showing stūpa within. c. 50* B.C.

40. Bhājā. *Veranda relief, corner: Demons of the Night Subdued by the Rising Sun.* I *century* B.C.

41. *Veranda reliefs: Sūrya, the Sun / Indra, the Storm*

42. Bhājā. *Veranda relief, detail: Indra over the Court of an Earthly King.* I *century* B.C.

43. *Veranda capital: figures of a sphinxlike form*

44a. Nadsūr. *Interior of the vihāra hall.*
c. 50 B.C.–50 A.D.

44b. Mānmoda. *Façade of the caitya hall.*
Early II *century* A.D.

45a. Nāsik. *Façades of Cave XVIII (right), early* I *century* A.D., *and Cave XX, early* II *century* A.D. *and later*

45b. Nāsik. *Façade of Cave X.* II *century* A.D.

46. Khaṇḍagiri-Udayagiri. Ananta Gumphā. *Veranda. 25* B.C.–*25* A.D.

47. Gaṇeśa Gumphā. *Veranda. Early* I *century* A.D.

48. Khaṇḍagiri-Udayagiri. Ananta Gumphā. *Bracket figure, veranda corner.* 25 B.C.–25 A.D.

49. Gaṇeśa Gumphā. *Pillar brackets, inside veranda. Early* I *century* A.D.

50. Khaṇḍagiri-Udayagiri. Gaṇeśa Gumphā. *Detail of veranda frieze. Early* I *century* A.D.

51. *Detail of veranda frieze*

52. Khaṇḍagiri-Udayagiri. Rānī Gumphā. I *century* A.D.

53. *Lower gallery, right: door-guardian and relief*

54. Khaṇḍagiri-Udayagiri. Rāṇī Gumphā. *Lower gallery, left: door-guardian and relief.* I *century* A.D.

55. *Lower gallery, east wing, frieze detail*

56. Khaṇḍagiri-Udayagiri. Rānī Gumphā. *Upper gallery, looking west.* I *century* A.D.

57. *Upper gallery, frieze detail*

58a. Khaṇḍagiri-Udayagiri. Rāṇī Gumphā. *Upper gallery, frieze detail.* I *century* A.D.

58b. Choṭā Hāthī Gumphā. *Veranda frieze.* I *century* A.D.

59. Mathurā. *Statue of Vima Kadphises.* II *century* A.D.

60. Mathurā. *Statue of a Kuṣāna king.* II *century* A.D.

61. Mathurā. *Statue of Kaniṣka.* II *century* A.D.

62. Gandhāra. II *or* III *century* A.D.

a. The Buddha Teaching

b. The Buddha on the Lion Throne

63. Gandhāra. *Standing Bodhisattva.*
II *or* III *century* A.D.

a. Seated Buddha, with lotus pedestal

b. Pāñcika and Hāritī

64. Gandhāra. II *or* III *century* A.D.

c. Worship of the Buddha

65. Gandhāra. *The Fasting Buddha.* II *or* III *century* A.D.

66. Taxila, Gandhāra. Jauliañ Monastery. *Buddha figures in stucco.* IV–V *century* A.D.

67. Gandhāra. *Standing Buddha.* II *or* III *century* A.D.

68. Haḍḍa (Afghanistan). *Head of a Devatā.* III–V *century* A.D.

69. Ḥaḍḍa (Afghanistan). *Head of the Buddha.* III–V *century* A.D.

70. Gandhāra. *Animals and divine beings attending the Buddha.* II *or* III *century* A.D.

71. Mathurā. *Seated Buddha on the Lion Throne, beneath the Bo Tree.* II century A.D.

72. Mathurā. *Head of the Buddha. c.* II *century* A.D.

73. *Same, front view*

a. Tree-goddess
b. The goddess "Abundance," front view

74–75. Mathurā. Pillar figures. II century A.D.

c. The goddess "Abundance," rear view
d. Yakṣī with a parrot

76. Mathurā

b. Tree-goddess. c. II *century* A.D.

a. Kṛṣṇa Govardhana. III *century* A.D.

77. Mathurā. *Nāgarāja.*
II *century* A.D.

78. Kārlī. *Caitya hall. Early* II *century* A.D.

79. *Façade and cour*

80. Kārlī. *Caitya façade, panel between entrances. Early* II *century* A.D.

81. *Façade, detail: donor couple (right of left entrance)*

82/83. Kārlī. *Caitya façade, details: donor couples (left of left entrance / right of right entrance). Early* II *century* A.D.

84. Kanherī. *Caitya cave, façade and court.* II *century* A.D. *and later*

85. *Detail: two donor couples.* II *century* A.D.

86. Amarāvatī. II *century* A.D.
    a. *Panel: The Universal King*

b. *Railing medallion:*
The Buddha Subdues the Mad Elephant

87. Amarāvatī. *Adoration of the Budd.*
    c. I *century* A.D.

88. Amarāvatī. *The Assault of Māra. c.* II *century* A.D.

89. Amarāvatī. *The Great Departure. c.* II *century* A.D.

90. Amarāvatī. *The Nativity of the Buddha. c.* II *century* A.D.

91. Amarāvatī. *The Great Departure. c.* 100 A.D.

a. Pillar with stūpas, and Buddhas on lotuses

92. Amarāvatī. II *or* III *century* A.D.

b. Three Events in the Legend of the Buddha

93. Amarāvatī. *Standing Buddha.*
   II *or* III *century* A.D.

94. Amarāvatī. *Medallion: Adoration of the Buddha. Above:*
The Buddha Crosses the River Nairañjanā. II *century* A.D.

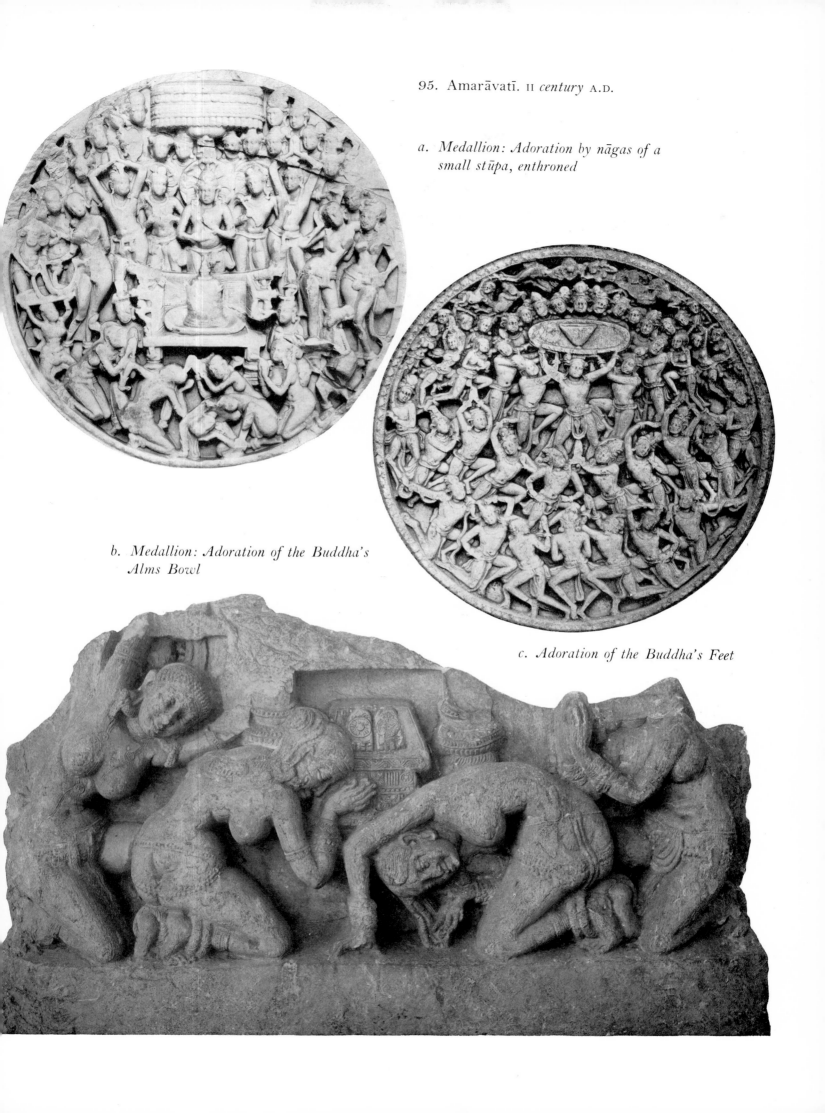

95. Amarāvatī. II *century* A.D.

a. Medallion: Adoration by nāgas of a small stūpa, enthroned

b. Medallion: Adoration of the Buddha's Alms Bowl

c. Adoration of the Buddha's Feet

96. Amarāvatī. *Slab depicting the Stūpa. Late* II *century* A.D.

97. Amarāvatī. *Adoration of a stūpa by nāgas. c.* II *or* III *century* A.D.

99. Bodhgayā. The Temple. VII–VIII *century* A.D., *as restored* XIX *century* A.D.

98. Amarāvatī. *Votive slab showing a stūpa.* II *century* A.D.

100. Mathurā. *Standing Buddha.* V *century* A.D.

101. Mathurā. *Standing Buddha*. V *century* A.D.

102. Sārnāth. *The Teaching Buddha.* v *century* A.D.

103. Bengal. *Standing Buddha. Early* v *century* A.D.

104. Mathurā. *Viṣṇu.* V *century* A.D.

105a Paṭhāri. *Mother and child.*
VII *century* A.D. *or later*

105b. Bihār. *Standing nāginī. Stucco.*
V *century* A.D.

105c. Besnagar. *The Goddess Gaṅgā
on a makara. c. 500* A.D.

106. Mathurā. *Gupta head.* IV–VI *century* A.D.

107. *Fragment of a skirted female figure, provenance unknown.* VI *or* VII *century* A.D. *or later*

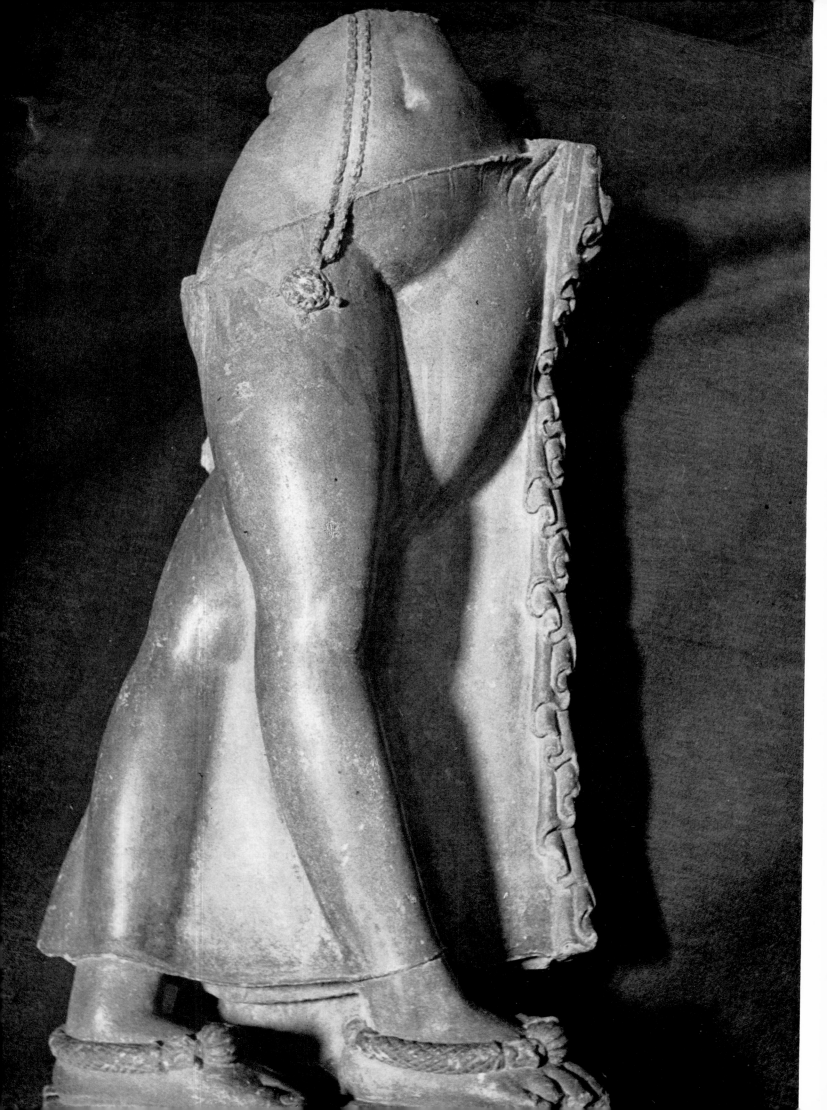

108a. Sārnāth. *Avalokiteśvara-*
Padmapāṇi. c. VI *century* A.D.

108b. Bihār. *"Angel of the Discus."*
c. VI *century* A.D.

109. Udayagiri (Bhopāl). *Viṣṇu as the Cosmic Boar Rescues the Goddess Earth. c.* 400 A.I

110. Deogaṛh. Daśāvatāra Temple. *Viṣṇu Releases the Elephant. c.* 600 A.D.

111. *Viṣṇu Anantaśayin*

a. Temple XVII. v *century* A.D.

112. Sāñcī

b. Temple XVIII. *Ruins.* VII *century* A.D.

113. Aihoḷe. Hucchīmallīguḍi Temple. VI *century* A.D.

114/115. Aiholẹ. Lād Khān Temple. *Two maithunas. c. 450* A.D.

116. Aihoḷe. Durgā Temple. VI *century* A.D.

117. *Veranda niche: Durgā, Slayer of the Titan Buffalo*

118/119. Aiholẹ. Durgā Temple. *Two gandharva couples.* VI *century* A.D.

120/121. Aihoḷe. Durgā Temple/Temple VII. *Two maithunas.* VI *century* A.D.

122. Aihoḷe. Haccappya's Temple. *Ceiling slab: Viṣṇu in nāgalike form.* VI *century* A.D.

123. *Figures in a nearby rock sanctuary*

124. Bādāmī. Cave I. *Façade, with Dancing Śiva. Late* VI *century* A.D.

125. Cave III. *Viṣṇu Trivikrama. c. 578* A.D.

126. Bādāmī. Cave III. *Corridor: image of Viṣṇu. c.* 578 A.D.

127. *Detail: Viṣṇu on the Serpent*

128. Bādāmī. Cave III. *Bracket figures: Śiva and Durgā. c.* 578 A.D.

129. *Bracket figures: Kāma and Rati*

130. Bādāmī. Cave III. *Bracket figures. c. 578* A.D.

131. *Bracket figure*

132. Bādāmī. Cave III. *Pillar medallion (detail of Plate 127). c. 578* A.D.

133. *Pillar medallion (detail of Plate 126)*

134. Bādāmī. Cave III. *Pillar medallion. c. 578* A.D.

135. Cave I. *Ceiling medallion. Late* VI *century* A.D.

136. Bādāmī. Cave I. *Ceiling medallion. Late* VI *century* A.D.

137. *Wall relief: Skanda Kārttikeya on His Vāhana, the Peacock*

139. Cave I. *Śiva "Half Woman"*

138. Bādāmī. Cave II. *Viṣṇu, as the Cosmic Boar, Rescues the Goddess Earth. Late* VI *century* A.D.

140. Bādāmī. Cave III. *Dvārapāla. c. 578* A.D.

141. Bādāmī. Mālegitti Śivālaya Temple. *c. 625* A.D.

142–143. Ajaṇṭā. I *century* B.C.–VII *century* A.D. *View from the western end of the crescent. Cave I at the extreme right*

144–145. Ajaṇṭā. I *century* B.C.–VII *century* A.D. *View from before Cave I*

146. Ajaṇṭā. Cave I. *Veranda. c. 600–642* A.D.

147. *Fresco to the right of the main shrine: The Bodhisattva Vajrapāṇi*

148. Ajaṇṭā. Cave I. *Fresco to the left of the main shrine: The Bodhisattva Avalokiteśvara-Padmapāṇi, Surrounded by Devoted Beings. c. 600–642* A.D.

149. *Detail: "The Black Princess"*

150. Ajaṇṭā. Cave I. *Detail: "The Lovers."* c. 600–642 A.D.

151. *Detail: The Bodhisattva Avalokiteśvara-Padmapāṇi*

152. Ajaṇṭā. Cave I. *Left wall, detail: gandharvas and apsarases. c. 600–642* A.D.

153. Cave II. *Veranda. c. 600–642* A.D.

154–155. Ajaṇṭā. Cave II.
The Chapel of Hāritī.
c. 600–642 A.D.

156. Ajaṇṭā. Cave II. *Inner shrine. c. 600–642* A.D.

157. *Detail: An Epiphany of Buddhas*

158. Ajaṇṭā. Cave II. *Ceiling of the inner shrine. c. 600–642* A.D.

159. *Ceiling detail of first aisle: a gandharva*

160. Ajaṇṭā. Cave II. *Within the inner shrine. c. 600–642* A.D.

161. Cave IV. *Veranda. c. 635* A.D.

162. Ajaṇṭā. Cave IX. *Façade. c.* 50 B.C.–50 A.D.

163. Cave VII. *Veranda. c. 400–440* A.D.

164. Ajaṇṭā. Cave XII. *Stonework over door to right of the main entrance.* 50 B.C.–50 A.D.

165. Cave X. *Interior of caitya hall. c.* I *century* B.C.

166. Ajaṇṭā. Cave XVI. *Bracket figures (detail of Plate 167). c. 470–480* A.D.

167. *Front ais*

168. Ajaṇṭā. Cave XVII. *Veranda fresco: heavenly beings. c. 470–480* A.D.

169. *Entrance: The Seven Mānuṣa Buddhas and Maitreya*

170. Ajaṇṭā. Cave XVII. *Veranda fresco, far left.* c. 470–480 A.D.

171. *Veranda fresco: face of an apsaras*

173. *Fresco on the interior left wall (detail)*

172. Ajaṇṭā. Cave XVII. *Fresco in the foyer of the central shrine. c. 470–480* A.D.

174. Ajaṇṭā. Cave XVII. *Fresco left of the entrance to the main shrine. c. 470–480* A.D.

175. *Detail: mother and child*

177. *Central shrine: The Buddha Teaching*

176. Ajaṇṭā. Cave XVII. *Columns before the central shrine. c. 470–480* A.D.

178. Ajaṇṭā. Cave XIX. *Façade and court. c. 500–550* A.D.

179. *Façade detail: Maitreya*

180. Ajaṇṭā. Cave XIX. *Caitya interior. c. 500–550* A.D.

181. *Exterior niche: nāga king and queen*

182. Ajaṇṭā. Cave XXVI. *Façade. c. 600–642* A.D.

183. *Caitya interior*

184–185. Ajaṇṭā. Cave XXVI. *The Parinirvāṇa. c.* 600–642 A.D.

186. Ajaṇṭā. *Right: Part of Cave XXVII. c. 700* A.D.

187. Elūrā. Cave II. *Interior: The Bodhisattva Avalokiteśvara as door-guardian.* c. 580–642 A.D.

188–189. Elūrā. *Panorama: Cave I (extreme right) to Cave VII (left)*

191a. *North wall: head of an unfinished Buddha*

191b. *North wall: a row of unfinished Buddhas*

190. Elūrā. Cave II. *Unfinished corner of north gallery. c. 580–642* A.D.

192. Elūrā. Cave VII. *The Future Buddha Maitreya as door-guardian. c. 700–750* A.D.

193a. *Detail: Bracket figures*

193b. *Detail: Head of the Future Buddha*

195. *Façade, upper gallery, detail: lintel over south niche*

194. Elūrā. Cave X (Viśvakarman). *Façade. c.* 700–750 A.D.

196. Elūrā. Cave X (Viśvakarman). *Caitya hall, interior, showing the natural lighting: the beam at the Buddha's feet is from the window. c. 700–750* A.D.

197. *Closeup of the Stūpa, made with photographer's ligh[t]*

198. Elūrā. Cave XII (Tīn Thāl). *Entrance court and façade. c.* 700–750 A.D.

199. *Third floor, west aisle, looking south*

200. Elūrā. Cave XII (Tīn Thāl). *Third floor, east wall, looking north: The Seven Mānuṣa Buddhas in Meditation. c. 700–750* A.D.

201. *Third floor, east wall, looking south: The Seven Mānuṣa Buddhas, beneath Umbrellas, Teaching. In the niche: The Buddha Śākyamuni Teaching in the Deer Park at Benares*

203. *The Slaying of Hiraṇyakaśipu*

202. Elūrā. Cave XV (Das Avatāra). *Upper hall with reposing Nandi. c. 700–750* A.D.

204. Elūrā. Kailāsanātha. *From the southeast. c. 750–850* A.D.

205. *From the northwest*

206–207. Elūrā. Kailāsanātha. *Central court from the south: elephant caryatid, the legend of the* Rāmāyaṇa, *and southern pylon. c. 750–850* A.D.

208. Elūrā. Kailāsanātha. *Panels of Śiva and Pārvatī in the north corridor. c. 750–850* A.D.

209. *Elephant caryatids*

210. Elūrā. Kailāsanātha. *Durgā, Slayer of the Titan Buffalo. c. 750–850* A.D.

211. *Rāvaṇa Shakes the Mountain*

Elūrā. Kailāsanātha. *c. 750–850* A.D.

212. *The Abduction of Sītā*

213. *Maithuna*

214. Elūrā. Kailāsanātha. *Summit of the northern pylon. c. 750–850* A.D.

215. *Detail, south face*

216. Elūrā. Kailāsanātha. *The Dwelling of Nandi. c. 750–850* A.D.

217. *Panel from the north side: Śiva, Slayer of Titans*

218. Elūrā. Kailāsanātha. *Northwest corner: Laṅkeśvara Cave. c. 750–850* A.D.

219. *Niche within the cave: Goddess of the River Jumn*

220. *Detail of Plate 219*

a

221. Elūrā. Kailāsanātha. The Hall of Sacrifice. *West and east walls. c. 750–850* A.D.

222. Elūrā. Kailāsanātha. Laṅkeśvara Cave. *Upper gallery. c. 750–850* A.D.

223. *Main panel: Śiva, King of Dancers*

a

224. Elūrā. Kailāsanātha. Laṅkeśvara Cave. *Details: balustrade maithunas. c. 750–850* A.D.

b

225. *A column*

226. Elūrā. Kailāsanātha. *Śiva Tripurāntaka. c. 750–850* A.D.

227. Elūrā. Cave XXI (Rāmeśvara). *Veranda façade: Goddess of the River Ganges. c.* VII *century* A.D.

229. *Pillar figure*

228. Elūrā. Cave XXI (Rāmeśvara).
*Northwest pillar and Goddess
of the Ganges, door-guardian of
the north. c.* VII *century* A.D.

230. Elūrā. Cave XXI (Rāmeśvara). *South chapel, southwest corner. Left (south) wall: part of a panel of the Seven Mothers. Right (outside): Goddess of the River Saraswati, door-guardian of the south. c.* VII *century* A.D.

231. *South chapel, southeast corner. Left (east) wall: Śiva, King of Dancers.*
Right (south) wall: part of a panel of the Seven Mothers

232. *Detail of Plate 231: Śiva, King of Dancers*

233. *Detail of Plate 231: Spectators of the Dance*

234. Elūrā. Cave XXI (Rāmeśvara). *North chapel, east wall: Durgā, Slayer of the Titan Buffalo.* VII *century* A.D.

235. Cave XXIX (Dhumar Leṇā). *Façade. c. 580–642* A.D.

236. Elūrā. Cave XXIX (Dhumar Leṇā). *The sanctuary and its guardians. c. 580–642* A.D.

237. *The Marriage of Śiva and Pārvatī*

238. Elūrā. Cave XXIX (Dhumar Leṇā). *Interior columns. Panel: Śiva's Dance in the Elephant Skin. c. 580–642* A.D.

239. *Rāvaṇa Rocks Mount Kailāsa*

240. Elūrā. Cave XXXIII (Indra Sabhā). *Façade, upper gallery. c. 750–850* A.D.

241. *Elephant in the court*

242. Elūrā. Cave XXXIII (Indra Sabhā). *Indra, King of the Gods. c. 750–850* A.D.

243. *Indrāṇī, Queen of the Go*

244. Elūrā. Cave XXXIII (Indra Sabhā). *Sanctuary of the Tīrthaṅkara Mahāvīra, guarded by the King and Queen of the Gods. c. 750–850* A.D.

245. *The Jaina ascetic Gommaṭa, entwined with vines*

246 (*over*). *Indrāṇī on the Lion*

247 (*over*). *Pārśvanātha*

248. Elephanta. Śiva Temple. *Cross section of the cave.* VIII *century* A.D.

249. *Interior view, from the center toward the main entrance*

250–251. Elephanta. Śiva Temple. *The main shrine, with its guardians.* VIII *century* A.D.

Elephanta. Śiva Temple. VIII *century* A.D.

253. *Śiva Maheśvara: The Great God*

254 (*over*). *Detail of the central head*

255 (*over*). *Detail of the head to the right*

256. Elephanta. Śiva Temple. *Back wall, panel left of the Great God: Śiva Ardhanārī.* VIII *century* A.D.

257. *Back wall, panel right of the Great God: Marriage of Śiva and Pārvatī*

258. Elephanta. Śiva Temple. *Śiva Ardhanārī* (*detail of Plate 256*). VIII *century* A.D.

259. *Pārvatī* (*detail of Plate 257*)

260. Elephanta. Śiva Temple. *Śiva Naṭarāja, King of Dancers.* VIII *century* A.D.

261. *Detail: Śiva*

262. Elephanta. Śiva Temple. *Sanctuary of the Liṅgam.* VIII *century* A.D.

263. *Detail: a door-guardian*

a

b

264. Elephanta. Śiva Temple.
*Śiva Slaying the Titan
Andhaka. Above: detail.*
VIII *century* A.D.

265. *Interior view, from the main entrance toward open court at the left*

266. Māmallapuram. *The rathas from the northeast, right to left: Draupadī, Arjuna, Bhīma, and Dharmarāja. Early* VII *century* A.D.

267. *Dharmarāja ratha*

268. Māmallapuram. *The rathas from the northwest, left to right: Draupadī, Arjuna, and Bhīma. Early* VII *century* A.D.

269. *Arjuna ratha, south façade: Kṛṣṇa, flanked by donor couples and guardians*

270–271. Māmallapuram. *Sahadeva ratha. Prospect looking northeast. Early* VII *century* A.D.

272–273. Māmallapuram.
The Descent of the Ganges.
Early VII *century* A.D.

274/275. Māmallapuram.
The Descent of the
Ganges. *Details of the*
right panel. Early v
century A.D.

276. Māmallapuram. The Descent of the Ganges. *The central cleft. Early* VII *century* A.D.

277. *Detail of the central cleft*

278a. Māmallapuram. The Descent of the Ganges. *Detail of the left panel: reclining deer.* Early VII *century* A.D.

278b. *Nearby: monkey family*

279. Māmallapuram. Ādi Varāha Cave. *Early* VII *century* A.D.

280. Māmallapuram. Ādi Varāha Cave.
Early VII *century* A.D.

a. *The donor, King Mahendravarman,
and his wives*

b. *Gaja-Lakṣmī*

281. *Cave interior, showing sanctuary and two panels: Lakṣmī and Viṣṇu Trivikrama*

282. Māmallapuram. Ādi Varāha Cave. *Viṣṇu, as the Cosmic Boar (Ādi Varāha),*
Rescues the Goddess Earth. Early VII *century* A.D.

283. *Door-guardians of the sanctuary*

284. Māmallapuram. Mahiṣa Maṇḍapa. *Durgā Mahiṣāsura-mardinī, Slayer of the Titan Buffalo. Early* VII *century* A.D.

285. *Detail: Durgā on her Lion*

286. Māmallapuram. Mahiṣa Maṇḍapa. *Viṣṇu Anantaśayin. Early* VII *century* A.D.

287. *Detail: The Suppliant Godde.*

288. Māmallapuram. *Durgā Mahiṣāsura-mardinī, Slayer of the Titan Buffalo. Early* VII *century* A.D.

289. Māmallapuram. Trimūrti Cave. *The Sanctuary of the Liṅgam. Early* VII *century* A.D.

290. Māmallapuram. Five Pāṇḍava Cave. *Early* VII *century* A.D.

291. *Detail: Kṛṣṇa Govardhana relief, looking south*

292. Māmallapuram. Five Pāṇḍava Cave. *Kṛṣṇa Govardhana relief, looking north. Early*
VII *century* A.D.

293. *Detail: cowherds and f*

294–295. Māmallapuram. The Shore Temple.
  c. 700–720 A.D.

a. *Front view*

296. Māmallapuram. *Lion, westward of the Shore Temple.*
Early VII *century* A.D.

b. *Detail of the left side*

297. *Closeup, from the right side*

298. Māmallapuram. The Shore Temple. *Main tower.* 700–720 A.D.

299. Paṭṭadakal. Mallikārjuna Temple. *Main tower. c.* 740 A.D.

300. Paṭṭadakal. Mallikārjuna Temple. *Donor couple. c. 740* A.D.

301. *Donor couple*

302. Paṭṭadakal. Mallikārjuna Temple. *Guardian of the sanctuary.* c. 740 A.D.

303. Paṭṭadakal. Pāpanātha Temple. *c. 735* A.D.

304. Paṭṭadakal. Virūpākṣa Temple. *A portion of the walled maṇḍapa. c. 740* A.D.

305. *Niche carving: Śiva on the Dwarf Apasmāra*

306. Paṭṭadakal. Virūpākṣa Temple. *Interior, pillar relief. c. 740* A.D.

307. *Interior, pillar relief*

308. Paṭṭadakal. Jambhuliṅga Temple. VII–VIII *century* A.D.

309. Khajurāho. Kaṇḍārya Mahādeva Temple. *View from the east. c. 1000* A.D.

310. Khajurāho. Kaṇḍārya Mahādeva Temple. *View from the south. c. 1000* A.D.

311. Khajurāho. Jagadambi and Citragupta Temples. *c. 1000* A.D.

312/313. Khajurāho. Citragupta Temple. *Walls. c. 1000* A.D.

314/315. Khajurāho. Kaṇḍārya Mahādeva Temple. *Sculptural décor. c. 1000* A.D.

316. Citragupta Temple

Khajurāho. *Wall figures. c. 1000* A.D.

317 (*right*). Kaṇḍārya Mahādeva Temple

318. Khajurāho. Citragupta Temple. *Maithuna. c. 1000* A.D.

319. Rājputāna. *Dancing Gaṇeśa.* X *century* A.D.

320. Western India. *Viṣṇu.* XII–XIII *century* A.D.

321. Bundelkhaṇḍ. *Siṁhanāda Avalokiteśvara. c. 1100* A.D.

322. North or Central India. *Tree-goddesses*
a. XIII *century* A.D.
b. XI–XII *century* A.D.

323. Nokhas. *Stone fragment, worshiped as Rukminī. Probably* X *century* A.D.

324–325. Purī. The Great Temple of Jagannātha. *c. 1150* A.D.

326. Purī. Vaitāl Deul. *Panel: Durgā, Slayer of the Titan Buffalo. c. 1000* A.D.

327. Bhuvaneśvara. Paraśurāmeśvara Temple. *c. 750* A.D.

328. Bhuvaneśvara. *View of the Great Temple compound.* VIII–XIII *century* A.D.

329. Bhuvaneśvara. Liṅgarāja Temple. *Śikhara. c. 1000* A.

330. Bhuvaneśvara. Mukteśvara Temple. *General view. c. 950* A.D.

334. Bhuvaneśvara. Mukteśvara Temple. *Śikhara, detail. c. 950* A.D.

335. *Śikhara, southwest corner*

336. Bhuvaneśvara. Rājrānī Temple. *Lateral view. c. 1100* A.D.

337. *View of the śikhara from the re*

338–339. Bhuvaneśvara.
Rājrāni Temple.
*Wall of the śikhara,
from the southwest.
c. 1100* A.D.

Over:

340. *Southeast corner*

341. *Wall details*

342. *South façade, left corner*

343. *Dryad beneath a palm*

344. Bhuvaneśvara or Khajurāho. *Woman and child.* XI *century* A.D.

345. *Woman writing with a stylus*

346. Bhuvaneśvara or Khajurāho. *Woman with a mirror.* XI *century* A.D.

347. *Lion bracket*

348–349. Koṇārak. Temple of the Sun (Sūrya Deul). *View from the northeast. Left: The Naṭa Mandir. Right: The maṇḍapa. The śikhara has fallen.* XIII *century* A.D.

350. Koṇārak. Naṭa Mandir. *View from the roof of the maṇḍapa.* XIII *century* A.D.

351. *South w*

352–353. Koṇārak. Naṭa Mandir. *Section of the south wall.* XIII *century* A.D.

355. First south wheel and south horses. West façade of the Naṭa Mandir in the background

354. Koṇārak. Temple of the Sun. *Maṇḍapa, south side, with rubble from the fallen śikhara in the foreground.* XIII *century* A.D.

356 (*over*). *East front*

357 (*over*). *First horse on the south side*

358-359. Koṇārak. Temple of the Sun. *South side of the base of the ruined śikhara, with the fragment of a man-lion fallen from the top.* XIII *century* A.D.

360. Koṇārak. Temple of the Sun. *The fourth south wheel.* XIII *century* A.D.

361. *Wheel details*

362. Koṇārak. Temple of the Sun. *Third floor, facing east: cymbal player.* XIII *century* A.D.

363. *Second floor, facing west: drumme*

364. Koṇārak. Temple of the Sun. *Corner eastward of the second south wheel.* XIII *century* A.D.

365. *Details of the northwest corner: dryad and yāli*

367. Detail from the corner

3. Koṇārak. Temple of the Sun. *Niche high on the south wall.* XIII *century* A.D.

368. Koṇārak. Temple of the Sun. *South wall, detail: nāga couple.* XIII *century* A.D.

369. *Eroded wall figure in the northwest corner*

370. Koṇārak. Temple of the Sun. *Female torso.* XIII *century* A.D.

371. *Sūrya, the Sun-god*

372. Koṇārak. Temple of the
Sun. *Sūrya, the Sun-god.*
XIII *century* A.D.

373. *Detail: Aruṇa, the God of Dawn, Driving the Chariot of the Sun-god*

375. Attendant elephant

74. Konārak. Temple of the Sun. *Rāhu, the Demon of Eclipses.* XIII *century* A.D.

376. Nālandā. *The Teaching Buddha. c.* VII–VIII *century* A.D.

377. Nālandā. *Stūpa façade: The Buddha with His Alms Bowl. c.* VII *century* A.D.

378. Nālandā. *Colossal Avalokite-śvara-Padmapāni. c.* VIII *or* IX *century* A.D.

379. Nālandā. *Standing bronze Buddha. Early* IX *century* A.D.

380. Nālandā. *Buddha in the Earth-touching Posture.* VIII *or* IX *century* A.D.

381. Bihār. *Buddha in the Earth-touching Posture.* VIII *or* IX *century* A.D.

382. Bihār. *Tārā, consort of Avalokiteśvara.* IX *century* A.D.

383. Bengal or Bihār. *The Buddha and the Eight Great Miracles.* X–XI *century* A.D.

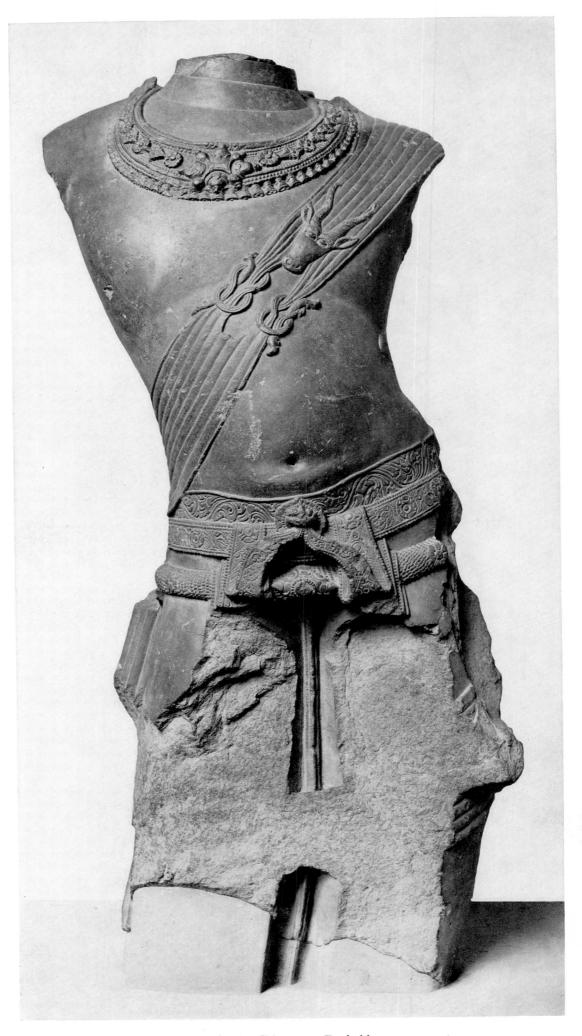

384. Sāñcī. *Torso of a Bodhisattva. Probably* VII–IX *century* A.D.

385. Bengal. *Gaṅgā.* XII *century* A.D.

386. *Detail of Plate 387*

387. Oṛissā. *Śiva and the Goddess.* XI *century* A.

388. Bengal. *Viṣṇu Trivikrama.* XI–XII *century* A.D.

389. Rājputāna. *Ṛṣabhanātha*. XI–XIII *century* A.D.

390. Mount Ābū. Ṛṣabhanātha Temple. *Ceiling of a side chapel.* XI *century* A.D.

391. *Interior*

392. Mount Ābū. Neminātha Temple. *Details of a ceiling.* 1232 A.D.

393. *A side chapel*

394. Chitor, Mewar

a. Kumbha Rāṇa's Tower of Fame. *1442–1449* A.D.

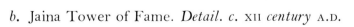

b. Jaina Tower of Fame. *Detail. c.* XII *century* A.D.

395. Gwāliar. *Jaina Tīrthaṅkaras.* XV *century* A.D.

396–397. Tanjore. Rājarājeśvara Temple. XI
century A.D.

398–399. Śrī Perumbudur. *Gopura.*
c. 1100 A.D.

400–401. Tiruvannāmalai. Aruṇācaleśvara Temple. *Base of the eastern gopura, from the northeast. c.* XII *century* A.D.

402–403 (*over*). *Temple from the west*

404. Tiruvannāmalai. Aruṇācaleśvara Temple. *Within the western entrance:
Nandi, to the right, and gopuras. c.* XII *century* A.D.

405. *Killi Gopura* (XIX–*century restoration*)

406. Tiruvannāmalai. Aruṇācaleśvara Temple. *Maṇḍapas and flagstaff. c.* XII *century* A.D.

407. *Perumal Maṇḍapa: column reliefs. c.* 1220 A.D.

409b. *Column: Dancer. c.* XIII *century* A.D.

409a. **Dryad,** *with Gaṇeśa above. c. 1500* A.D.

408. Tiruvannāmalai. Aruṇācaleśvara Temple. *Column: Siva in the Elephant Skin. c.* XIII *century* A.D.

410. South India. *Śiva Vīṇādhara.*
XIV *century* A.D.

411. South India. *Śiva Naṭarāja.*
XII–XIII *century* A.D.

412. South India. *Śiva Naṭarāja* (*see Plate 411*), *detail: The dwarf Apasmāra, holding a cobra.* XII–XIII *century* A.D.

413. *Side view*

414 (*over*). *Back, detail*

415. South India. *Pārvatī*

    a. x *century* A.D.

    b. xv *century* A.D.

a

b

416-417. South India. *Pārvatī: por-trait of a queen.* XI *or early* XII *century* A.D.

418. South India. *Pārvatī* (*see Plates 416–417*), *detail*. XI *or early* XII *century* A.D.

419. South India. *Pārvatī. Probably* XVII–XVIII *century* A.D.

420. South India.
Pārvatī. Probably
XVII–XVIII *century* A.D.

421. South India. *Pārvatī. Probably*
XV–XVI *century* A.D.

422. South India. *Kālī, worshiping Śiva.* XIV *century* A.D.

423. South India. *Kṛṣṇa, Tamer of the Serpent. c. 900* A.D.

424. South India. *Kālī.* XIX *century* A.D.

425. South India. *Garuḍa Carrying Viṣṇu and Lakṣmī.* XVIII *century* A.D.

426. South India. *Gaṇeśa and His Vāhana, the Rat. c.* XVII–XVIII *century* A.D.

427. Somnāthpur. Keśava Temple. *1268* A.D.

428/429. Halebīd. Hoyśaleśvara Temple. *Sections of the wall.* XIII *century* A.D.

430. Halebīd. Hoyśaleśvara Temple. *Frieze detail.* XIII *century* A.D.

431. *Frieze details*

432. Halebīd. Hoyśaleśvara Temple. *Wall group: Viṣṇu and Lakṣmī with attendants.* XIII *century* A.D.

433. *Wall fragment: musicians*

434. Belūr. *Durgā, Slayer of the Titan Buffalo.* XII *century* A.D.

435. *Kṛṣṇa*

437. Vijayanagar. *"The Elephant Stables."* XVI *century* A.D.

436. Belūr. *The Serpent Mother. c.* XII *century* A.D.

438. Vijayanagar. XVI *century* A.D.

a. Pampāspati Temple. *Gopura*

b. Viṭṭhalasvāmin Temple. *Maṇḍapa*

439. Vijayanagar. Viṭṭhalasvāmin Temple. *Stone processional car.* XVI *century* A.D.

440. Vijayanagar. *"Throne Platform" reliefs.* XVI *century* A.D.

441. *"Throne Platform" reliefs*

442. Vijayanagar. *"Throne Platform" reliefs.* XVI *century* A.D.

443. *"Throne Platform" reliefs*

445a. Vijayanagar. *Narasiṁha. c.* XVI *century* A.D.

445b. Perūr. *Śiva in the Elephant Skin.* XVII *century* A.D.

444. Vijayanagar. *Maṇḍapa column: love scene.* XVI *century* A.D.

446. Cidambaram. Temple of Śiva, King of Dancers. XII–XIV *century* A.D.

447. Śrīraṅgam. Temple of Viṣṇu. *"Hall of a Thousand Columns."* XVI–XVII *century* A.D.

a. Tank and gopuras

448. Madura. Temple of the Goddess
Mīnākṣī. XVII *century* A.D.

b. North gopura

449. Madura. Puḍu Maṇḍapa. *Colonnade of King Tirumala Nāyyak.* XVII *century* A.D.

450–451. Sirunathur (near Tiruvannāmalai). *Ceramic steeds at the village shrine of a local godling, Ayanar.* XVI–XVII *century* A.D.

452. Sirunathur (near Tiruvannāmalai). *A local godling, Munieśwaram.* XVI–XVII *century* A.D.

453. Koṇārak. *Garuḍa Supporting Viṣṇu and Lakṣmī.* XIV–XV *century* A.D.

454–455. Tiruvannāmalai. *Pond and temple.*
xx *century* A.D.

a. *Standing Buddha*   b. *Standing Bodhisattva (or King Duṭṭhagāmaṇi)*

456. Anurādhapura, Ceylon. Ruanweli Dāgaba. *Probably c.* 200 A.D.

457. Anurādhapura, Ceylon. *The Buddha in Meditation.* III–IV *century* A.D.

458. Sīgiriya, Ceylon. *Frescoes in a rock pocket: apsarases. Late* v *century* A.D.

459. *Frescoês in a rock pocket: apsarases and attendants*

460. Near Anurādhapura, Ceylon. Īsurumuniya Vihāra. *The Sage Kapila. Probably* VII *century* A.D.

461. *Elephant among lotuses*

462a. Ceylon. *Pārvatī in sitting posture.*
Probably XV *century* A.D.

462b. Eastern Ceylon. *Paṭṭinī Devī.* VII–X *century* A.D.

463. Poḷonnāruva, Ceylon. *Parākrama Bāhu I. Probably* XII *century* A.D.

464. Poḷonnāruva, Ceylon. Jetavana Monastery. *The Laṅkatilaka, with the remains of a colossal standing Buddha.* XII *century* A.D.

465. Polonnāruva, Cey-
lon. Waṭa-dā-gē.
XII *century* A.D.

*a. Seated Buddha on
the inner terrace*

b. The stūpa

466. Near Poḷonnāruva, Ceylon. Gal Vihāra. *Colossal seated Buddha.* XII *century* A.D.

467. *Ānanda Attending the Parinirvāṇa of the Buddha*

a. Thūpārāma Vihāra

468. Poḷonnāruva, Ceylon. XII *century* A.D.

b. Northern Temple

469. Pagān, Burma. Ānanda Temple. *1082–1090* A.D.

470. Pagān, Burma. Ānanda Temple. *Colossal stand-
ing Buddha, Turning the Wheel of the Law. Late*
XI *century* A.D.

a

b

471. *Sculptured niches in the Temple: The Legend of the Buddha*

c

d

472. Pagān, Burma. Mingalazedi Pagoda. *1274* A.D.

473. Java. Caṇḍi Mendut. *Hāritī. Late* VIII *century* A.D.

474. Dieng Plateau, Java. Caṇḍi Puntadewa. *c.* 700 A.D.

475. Dieng Plateau, Java. Caṇḍi Bima. *c.* 700 A.D.

476. Java. Borobuḍur. *The site from the air.* VIII *century* A.D.

477. *The center of the west façade*

478. Java. Borobuḍur. *Makara gargoyle.* VIII *century* A.D.

a. Scenes of earthly life

b. Scenes of purgatory and of the punished crimes

c. Scenes of paradise

479. *Panels, basement series: The Round of Saṁsāra*

480. Java. Borobuḍur. *First gallery: Jātaka scenes.* VIII *century* A.D.

481. *First gallery: Above: Queen Māyā Proceeds to the Lumbinī Garden*
Below: Scene from an unidentified pious tale

a. *Descent of the Buddha-to-be from the Tuṣita Heaven*

b. *The Prince Siddhārtha Bestows His Ring on the Maiden Gopā*

c. *The Graveyard Vision in the Seraglio*

482. Java. Borobuḍur. *First gallery: Scenes from the Legend of the Buddha.* VIII *century* A.D.

a. The complete panel

b. Detail

483. *First gallery: Scene from the Legend of the Buddha: The Severing of the Hair-tuft*

a. The complete panel

b. Detail

484. Java. Borobuḍur. *First gallery: Scene from the Legend of the Buddha:*
The Maiden Sujātā Presents the Milk Rice. VIII *century* A.D.

485. *First gallery: Scenes from the Legend of the Buddha*
Above: The Bodhisattva Bathes in the River Nairañjanā
Below: Marine scene from a pious tale

a. The Temptation by the Daughters of Māra

b. The Victorious Buddha Returns to His Former Disciples

c. The Buddha Teaches in Benares

486. Java. Borobuḍur. *First gallery: Scenes from the Legend of the Buddha.* VIII *century* A.D.

487b. *Second gallery, east façade*

487a. *First gallery, west façade*

a. Sudhana before Mañjuśrī

b. Sudhana before Avalokiteśvara

488. Java. Borobuḍur. *Second gallery: Scenes of Sudhana's Quest for Enlighten-ment.* VIII *century* A.D.

a. Sudhana before Sumitā

b. Sudhana Beholds Maitreya

489. *Second gallery: Scenes of Sudhana's Quest for Enlightenment*

a. Sudhana before Samantabhadra

b. Sudhana Beholds Maitreya Preaching to the Animals

490. Java. Borobuḍur. *Third gallery: Continuation of the Legend of Sudhana.* VIII *century* A.D.

a. *A Dhyāni Buddha, between the Sun and the
Moon, Appears to Āsaṅga*

491. *Fourth gallery: Scenes from the Legend
of the Sage Āsaṅga*

b. *Heavenly spectacle in a corner of the north wall*

a. First stūpa terrace. Second terrace at right

492. Java. Borobuḍur. VIII *century* A.D.

b. Plateau. First stūpa terrace at left

493. *A Dhyāni Buddha on one of the stūpa terraces*

494. Java. Borobuḍur. *Head of a Dhyāni Buddha.* VIII *century* A.D.

495. Prambanam, Java. Caṇḍi Loro Joṅgrang. IX *century* A.D.

a. The Abduction of Sītā

496–497. Prambanam, Java. Caṇḍi Loro Joṅgrang.
Rāmayāṇa *frieze, details.* IX *century* A.D.

b. The Struggle of the Brother Monkey Kings

c. Rāma Slays the Monkey King Bālin

d. The Monkey Sugrīva Installed as King of Kiṣkindha

498. Belahan, Java. *Portrait of King Erlaṅga, as Viṣṇu on Garuḍa. c.* 1043 A.D.

499. Siṅgasāri, Java. *Queen Dedes as Prajñāpāramitā. Late* XIII *century* A.D.

500/501. *Details of Plate 499*

503. *Detail: the demon in his final transformation*

502. Siṅgasāri, Java. *Durgā, Slayer of the Titan Buffalo.* XIII *century* A.D.

504. Siṅgasāri, Java. *Gaṇeśa*. XIII *century* A.D.

505. Eastern Java or Bali. *Small rākṣasa.* XV *century* A.D. *or later*

506. Panataran, Java. *Temple ruins. c. 1370* A.D.

507. Eastern Java. *Colossal rākṣasa. c.* XV *century* A.D

508. Bali. *The Goddess Rati.* XIX *century* A.D.

509. Bali. XIX *century* A.D.

a. Brahmā on Haṁsa

b. Viṣṇu on Garuḍa

510. Campā (Annam). *Seated Buddha.* X *century* A.D.

511. Campā (Annam)

b. *Door-guardian.* X–XII *century* A.D.

a. *Dancing girl.* X *century* A.D.

512/513. Cambodia. *Female figure.*
VI–VII *century* A.D.

514. *Detail from Plate 515: drapery of the right thigh*

515. Cambodia. Mahā Rosei. *Hari-Hara.* VI–VII *century* A.D.

516. Cambodia. *Female figure.* VI–VII *century* A.D.

517. Cambodia. Prasāt Andet. *Hari-Hara.*
VII *century* A.D.

518. *Hari-Hara* (*see Plate 517*), *profile*

519. *Same, full face*

520. Cambodia. *Yakṣa.* IX *century* A.D.

521. Bakong, Cambodia. *Brick tower. Late* IX *or early* X *century* A.D.

523. Cambodia. Banteay Srei. *Guardian Garuḍa. Late* x *and early* xiv *century* A.D.

522. Pnom Bok, Cambodia. *Head of Śiva.* x *century* A.D.

524–525. Cambodia. Banteay Srei. *First and second central chapels. Late* x *and early* xiv *century* A.D.

526–527. Cambodia. Banteay Srei. *Door-guardians,
and the second central chapel. Late* x *and early* XIV
century A.D.

529. Lintel: The Arrival of Rāma in Laṅkā

528. Cambodia. Banteay Srei. *North Library. Main portal. Late* x *and early* xiv *century* A.D.

530. Cambodia. Banteay Srei. *South Library. Lintel: The Battle of the Monkey Kings. Late* x *and early* xiv *century* A.D.

531. Cambodia. Aṅkor Wāt. *Air view from the west. Early* XII *century* A.D.

532. Cambodia. Aṅkor Wāt. *Air view from the northeast. Early* XII *century* A.D.

533a. *Southwest corner*

533b. *The western approach*

534. Cambodia. Aṅkor Wāt. *The Library, and a detail (nāga hood) of the railing of the causeway. Early* XII *century* A.D.

540. Cambodia. Aṅkor Wāt. *Floral design and apsaras at the side of a doorway.*
Early XII *century* A.D.

541. *Third floor, northwest exterior: sixteen apsarases*

542–543. Cambodia. Aṅkor Wāt.
*West gallery, southern half: battle
scene from the* Mahābhārata. *Early*
XII *century* A.D.

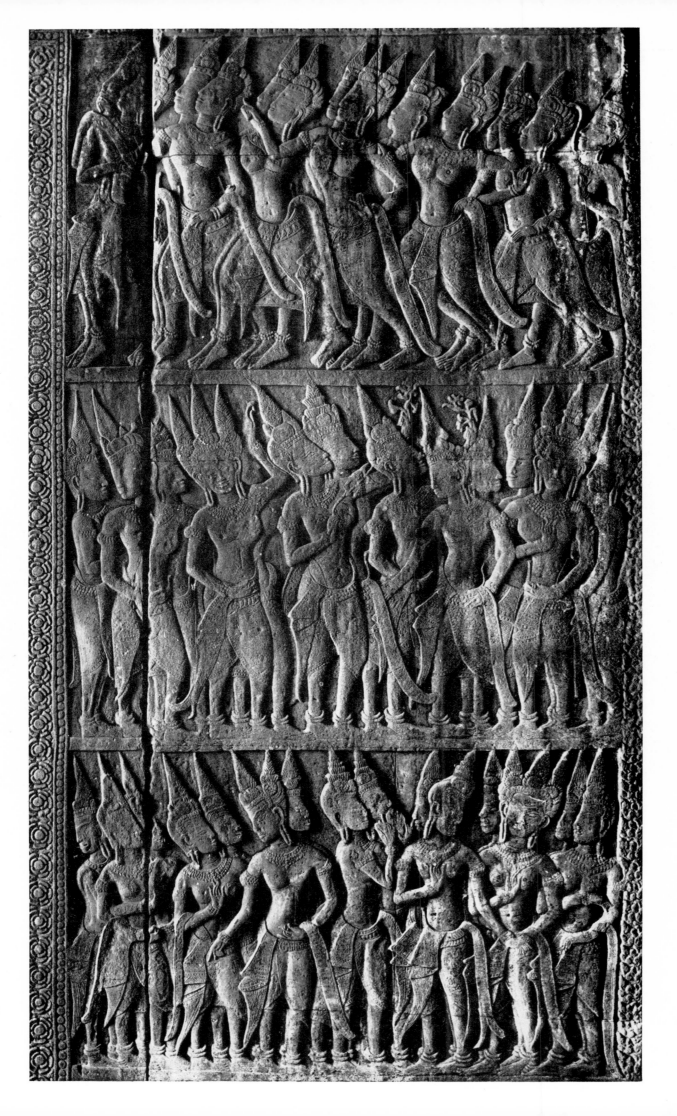

545. *North gallery, western half: embattled gods and demons, from the* Mahābhārata

544. Cambodia. Aṅkor Wāt. *West gallery, northern end: apsarases. Early* XII *century* A.D.

547. *North gallery, western half: The Titan Kālanemi in His Dragon Chariot*

546. Cambodia. Aṅkor Wāt. *North gallery, western end: The Moon God. Early* XII *century* A.D.

548–549. Cambodia. Aṅkor Wāt. *East gallery, southern half: The Churning of the Milky Ocean, detail: The Team of the Gods. Early* XII *century* A.D.

550. Cambodia. Aṅkor Wāt. *East gallery, southern half: The Churning of the Milky Ocean, detail: Viṣṇu Balancing Mount Mandara, the Churning Rod. Early* XII *century* A.D.

551. *The Churning of the Milky Ocean, detail: The Team of the Titans*

552. Cambodia. Aṅkor Wāt. *South gallery, western half: The Procession of the Army of King Sūryavarman II. Early* XII *century* A.D.

553. *South gallery, eastern half: above, souls transported to heaven; below, souls dragged to purgatory*

554. Cambodia. Aṅkor Wāt. *South gallery, eastern half: above, heavenly scenes; below, purgatorial scenes; between, caryatid garuḍas. Early* XII *century* A.D.

555. *Buddha images, stored in a court*

556. Cambodia. Aṅkor Wāt. *The Footprint of the Buddha. c.* XII *century* A.D.

557. Cambodia. *Mucalinda Buddha. Late* XII *century* A.D.

558/559. Cambodia.
Mucalinda Buddha.
Left: closeup of the
head. XII *century* A.D.

560. Cambodia. *Head of the Buddha.* XIII *century* A.D.

561. Cambodia. *A king as Mucalinda Buddha. Early* XII *century* A.D.

a. *Brahmā*

562. Cambodia. VIII–XIV *century* A.D.

b. *Gaṇeśa*

563. Cambodia. *Hevajra.* X–XIII *century* A.D.

a. Viṣṇu on Garuḍa. VIII–XIV *century* A.D.

564. Cambodia

b. Lakṣmī. c. XI *century* A.D.

565. Cambodia. *Tāraṇī.* X–XII *century* A.D.

566. Cambodia. *Liṅgam.* XIV *century* A.D.

567. Cambodia. Aṅkor Thoṁ. *Victory Gate: nāga balustrade. Early* XIII *century* A.D.

568. Cambodia. Aṅkor Thoṁ. *North gate. Early* XIII *century* A.D.

569. *The head of a giant*

570. Cambodia. Aṅkor Thom. *East gate: nāga balustrade. Early* XIII *century* A.D.

571. *North gate: anchor man of the Team of the God*

572. Cambodia. Aṅkor Thoṁ. *Second east entrance. Early* XIII *century* A.D.

573. *Door-guardians of the entranc*

574. Cambodia. Aṅkor Thoṁ. The Bayon. *Early* XIII *century* A.D.

575. *Detail: towe*

576–577. Cambodia. Aṅkor Thoṁ. The Bayon.
Southwest inner gallery, with tower above.
Early XIII *century* A.D.

578. Cambodia. Aṅkor Thoṁ. The Bayon. *Frieze of the Warriors, detail. c. early* XIII *century* A.D.

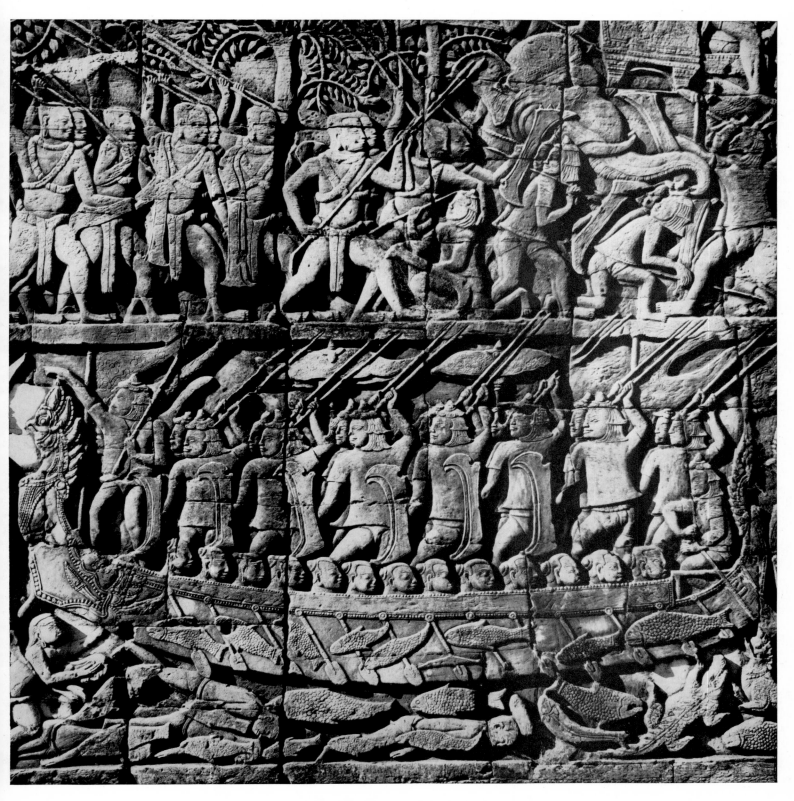

579. *Warriors and war canoe*

580. Cambodia. Aṅkor Thoṁ. The Bayon. *Dancing apsarases. Early* XIII *century* A.D.

581a. *Mucalinda Buddha*

581b. *Decorative apsaras*

582. Cambodia. Aṅkor Thoṁ. *"The Leper King."* Early XIII *century* A.D.

583. *Garuḍas supporting the Royal Terrace*

584. Cambodia. Aṅkor. *West entrance of the Ta Som. Early* XIII *century* A.D.

585. *Gallery of a temple*

586. Thailand. *Two Khmer-type Buddha heads.* XII–XIII century A.D.

a. *Found at Lopburi*

b. *Found at Ayuthiā*

587. Chiengmai, Thailand. *Buddha head.* XII–XIII *century* A.D

a. Buddha head, profile
b. Same, full face
c. Buddha head

588. Thailand. XI–XIII *century* A.D.

a. *Buddha mask, Khmer type*

b. *Bodhisattva.* VII–VIII *century* A.D.

c. *Buddha. Late* XII *century* A.D.

9. Thailand

590. Thailand. *Seated Buddha, Calling the Earth to Witness.* XIV–XVI *century* A.D.

591. Thailand. *c.* XIV *century*
A.D.

a. *Buddha torso*

b. Sukhothai. *Standing Bud-
dha*

c. *Buddha hand*

593. Thailand. *Buddha heads*
   a. Chiengmai. XIV *century* A.D.
   b. Ayuthiā. XVI *century* A.D.

594. Ayuthiā, Thailand. *Two apsarases.*
  c. XVII *century* A.D.

595. Bangkok, Thailand. Wat Po. *Buddha corridor.* XIX *century* A.D.

596. Near Kāṭhmaṇḍū, Nepal. *Stupā, showing the eyes of the Buddha. Possibly* VIII *or* IX *century* A.D.

597. Kāṭhmaṇḍū, Nepal. *Viṣṇu Anantaśayin, in a sacred pond*

598. Nepal. *Siṁhanāda Avalokiteśvara*. VIII–IX *century* A.D.

599. *Same, front view*

600. Nepal. *Avalokiteśvara Padmapāṇi.* IX *century* A.D.

601. Nepal. *Seated female figure.* XVI–XVII *century* A.D.

a. Lion-headed ḍākinī. XVIII–XIX *century* A.D.

602. Tibet

b. Sarva-buddha ḍākinī. Before XV *century* A.D.

603. Tibet. *Yamāntaka and Śakti.* XVIII *century* A.D.

604. Tibet. *Temple banner: Sarva-buddha ḍākinī*. XVIII–XIX *century* A.D.

605. *Temple banner: Yamāntaka*

606. Tibet. *Temple banner: Padmasambhava.* XVIII–XIX *century* A.D.

607. Tibet. *Temple banner: The Severing of the Hair-tuft.* XVII *century* A.D.

608. Tibet. *Temple banner: Maṇḍala of the Buddha Amitāyus.* XVIII–XIX *century* A.D.

609. Darjeeling, India. *Tibetan stūpa*

610. Tibet. *Vajrasattva and Prajñāpāramitā: the Ādi Buddha and his Śakti. Late* XVIII *century* A.D.

611. *Same, closeup*

612. Qyzyl, Chinese Turkistan. *King Ajātaśatru Learns of the Buddha's Parinirvāṇa. Right: detail. c.* VI *century* A.D.

613. Bezeklik, Chinese Turkistan. *Fresco detail: The Vow of the Merchant. c.* VIII *century* A.D.

614. China. *Kwan-yin. Late Sung dynasty*, 960–1279 A.D.